名探偵柯南

VOLUME 43

青山剛昌

☆前回提要☆

小小名偵探江戶川柯南，真正身份是被黑衣人組織所害，身形縮小了的高校生名偵探工藤新一。

在幽靈船上把殺人事件偵破的工藤新一，原來是由服部平次所扮的。另外，柯南卻假扮灰原哀，在茱迪老師的面前出現。柯南與黑衣人組織正面交鋒，卻發現原來新出醫生是組織成員比蒙特，而一直懷疑的茱迪老師，竟然是FBI調查員。可惜棋差一著，柯南始終被比蒙特逃去。

下雨天放學途中，少年偵探團又遇上事件發生。步美與傷人狂魔相遇，手掌留下與「5」字相似的記號。然而，元太的屁股位置竟然有同樣的印記……！

目　錄

FILE 1
搜尋屁股上的印記

元太，答我吧！
你到底在哪裡印上這記號的？
在你的屁股上那個記號呀！
但這真是那個疑犯的記號嗎？
是啊！
這和疑犯碰跌我時，印在掌心的記號很相似啊！
當時我用手壓著那東西，疑犯便慌張地過來取回，然後逃去…
後來，我發現手掌上印上了那標記了！
即是說，元太曾經在某地方接觸過疑犯的物件…
或許就是剛才在現場的人群中發現穿著雨衣的疑犯時印上的！

的、的確剛才我在人群中曾觸碰過一個皮包…
還差點被一輛單車撞倒，但那些並非疑犯啊！
還有…
唔？
什麼？
沒、沒什麼了…
難道那個皮包和單車上也有疑犯的東西那個同樣的標記？
是某品牌的標記嗎？
不如返回現場調查一下吧！
或許手持皮包和踏單車那二人還未走的…
佐、佐藤？
唔…
柯南，去吧！
唔！
奇怪…
在元太屁股上那個標記…
在哪裡見過…

呀！就是他！
就是那個叔叔的皮包啊！
但上面並沒有任何標記啊…
而且皮包完全沒有半點污垢…
但元太的屁股上印上的標記是帶點泥濘的…
有泥濘的污漬…似乎是單車比較可疑呢！
那輛單車…
呀…
在那裡！
是那個嬸嬸啊！
唔…雖然的確有點泥濘…
但並沒有那標記啊…
到底你那個「5」字或「S」字在哪裡印上的？
那不是5，也不是S…

印在步美的手掌和元太的屁股上的標記，其實是反轉了的…
所以，實物的形狀應該是5或S的反轉才對！
是嗎？
而且，你們有留意形狀的大小嗎？步美把這麼大的標記印在掌心上，應該不難猜中所觸碰過的東西的…
不是啊！我右掌心上的標記只不過像一毫子般大小而已！
這麼說，兩者雖然形狀相同，但大小不一…
那麼小的東西…
出自同一品牌的附屬品…
反轉…
附屬品…
咦？
衫袖的污漬…
呀…
難道是？
呀？

是這個了！
是汽車安飛利的標誌啊！
什麼？
走過泥路後沒有洗車，所以滿車泥濘…
說起來，剛才元太曾經坐在那汽車的車頭的…
是、是的…
為什麼不早說出來呀？
其、其實我一早已經想起了，只不過不敢說…
因為…
我沒想過傷人狂魔竟然是佐藤探員啊！
不是我啊！
一定是和疑犯駕著同一款車了！
那麼，我的手掌上的標記是…

是車匙啊！
安飛利的主車匙是刻有該牌子的標誌的！
你看！
是哩！
步美的衫袖上的痕跡就是証據了！
隱約看見有一條直紋嗎？
相信這便是車匙部份沾上泥濘後，再印到你的衫袖裡…
不…這不是泥濘…
是瘀黑了的顏色…
這是…
血？
難道這便是疑犯折返現場的原因嗎？
沒錯！相信他想知道步美是否看見安飛利的標誌…
然後看見我這輛安飛利停泊在這裡，被發現只是遲早的問題…
那麼，要盡快緝捕他了！

高木！立即通知目暮探長，封鎖現場！
並通知各單位搜查所有在附近出入的安飛利汽車！
知道！
還有，調查附近擁有安飛利汽車的居民身份！
疑犯以身犯險地折返現場，也要確定自己的汽車有否曝光的話，相信他在附近一是有停車場或車庫之類的地方放置汽車的！
知道了！
但這款車在附近很常見的…
怎麼搜呀？
不…吻合的並不多啊！
在車匙和車身刻有那標記的安飛利，在平成八年以後已經停產，屬於舊款車，而且案發時下雨…
車身濕了、車主沒有不在場証據和失掉主車匙的人不會太多吧…
你怎知道他沒有主車匙呀？
因為丟掉了嗎？
在步美的衫袖沾上了車匙形狀的血跡…
那是因為疑犯的手沾滿了受害人濺出的鮮血，再手持主車匙逃走的証據！他打算駕車逃走啊！
一旦被警方檢驗主車匙，血液反應便無所遁形，試問他怎能給警方查看呢？

—米花警署—
什麼？只有三輛而已？
真的嗎？探長！
是的，路障的手足截查到一部，另外在附近無意中發現兩部而已！
既是附近居民、又沒有不在場証據、又巧合地失掉主車匙的人就只有他們…
現在那三人正駕車前去現場…
你要盡快查出誰是傷人狂魔啊！
知道！
現在有三名嫌疑人物正前來這裡！
察
呀！
好快便水落石出了！
步美，妳該認得疑犯叫喊時的聲音吧？
可能當疑犯看見步美，會嚇到渾身抖震哩！
對啊！
我會加油的！
我反對…

什麼？
假如疑犯真的在那三人之中，又給妳認出的話，那當然沒問題…
但萬一証據不足，要即時放人的話怎麼辦？
疑犯知道遲早會被認出，一定會殺人滅口，對妳不利的！
尤其疑犯是個以傷人為樂的狂魔！
灰原，妳太敏感了…
現在根本証據不足，要步美站出來認人太冒險了！
但我是唯一最近距離見過疑犯的人，假如讓那三人穿上雨衣，我有信心認出他的！
用相片認人不是一樣嗎？
至於聲音，可以錄在錄音帶裡面…
這樣便完全不用與疑犯直接見面，最安全不過了…
的確正如灰原所說，直接認人似乎太過冒險…
但難得找來三名可疑人物，絕不能隨便審問幾句便放人的，萬一再有人受害的人便不好了…
不如就躲在暗處…
暗中認人吧！

後、後…
停！
逐個下車，說出姓名和職業…
然後說出案發時間今日下午四時左右在哪裡！
由左方的你開始！
哼！我來協助調查的，不要用審犯般語氣啊！
對不起…
我叫榎本洋！
在三丁目一間壽司店裡當兼職的大學生！
榎本洋(21)
壽司店兼職
做兼職有錢買車？
我問父親借的！不行嗎？
原來如此…

隔著單面玻璃觀看，便不怕被對方看見了…
如何呀？認出他的聲音沒有？
有點相似…又好像不是…
今日我不用上班，昨晚和家人吵架後，今朝一怒之下便飛車上山，怎知剛才下山便遇上路障截查了！
是啊，那裡景色很美，開快車又刺激…
難怪車身滿佈泥濘和花痕了…
飛車上山？
下個！
中間的你！
呀，係…
噗
呀…
喂！你小心撞花我的車呀！
豈有此理！怎樣泊車的！
對、對不起…
我的駕駛技術不精…

修理才是我的專長…
那麼你的職業是…
我是在汽車修理工場工作的…
我叫福地直和…
福地直和(36)
汽車技工
雖然今日工場休假，但因愛車有點不對勁，所以今天一早便在工場修理…
但據報說你在區內駕車徘徊了很久…
什、什麼？我只不過在商店街試車罷了！
犯法嗎？
不、不是…
最後一個…
右邊的你…
噗
呀…
我叫出川俊昭！
在一丁目的經營開鎖店的…
出川俊昭(43)
開鎖店老闆
我失掉了這部愛車的主車匙令我覺得非常遺憾…
但你的車和另外兩部不同，非常光亮哩！

是的…每次駕車外出前都會洗車，這部車可說是我的第二生命…
那麼，今日黃昏時份打算去哪裡？
我接到客人的電話說丟掉了家居門匙，想找我開鎖…
但他沒有清楚說出地址，我只好在附近兜圈找尋了…
可惜，最終也無法找到他！後來那人又打電話來說已經找到後備匙，叫我不用來了…
哦…
……
有什麼頭緒嗎？
完全沒有！
又不是叫喊聲…
三個人的身高和身形也差不多…
喂！你在鬼鬼祟祟幹什麼呀？
不，沒什麼…
高木探員…
有件事想你幫忙的…

什麼？
ヒッ ヒッ
什麼呀？
……
我還是出去當面認人好了！
什麼？
假如在他們身旁看，一定認得出來的！
不行啊！我說過萬一不能即時拘捕犯人的話，妳會有生命危險的！
但是…
不只是妳…
可能甚至會連累妳身邊的人的…
……
我明白妳想把壞人繩之於法，但再忍耐一下吧…
忍耐也是勇氣的表現…
沒錯…這就是答案了…
為了自己、也為了他們…

什麼？叫鑑證科的人來，另外記緊帶鏍絲批來？
是！
一定會找出破碇的……
那人為了隱藏犯罪証據，做了些手腳……
傷人狂魔果然是個「大話王」哩……

FILE 2
灰原哀的決定

各位，首先…
米花警察署
警方要暫時扣留你們三人的車輛…
作進一步調查！
什麼？別説笑了！
我們來米花警署是協助調查而已，為什麼扣留我們的車輛呀？
榎本洋(21)
壽司店兼職
還有，請你解釋清楚…
為什麼把我們視作傷人狂魔的疑犯呀？
福地直和(36)
汽車修理技工
案發時沒有不在場証據的人…
何止我們三人呀…
出川俊昭(43)
開鎖店老闆

首先是你們的車…
三人同樣駕駛安飛利！
是、是的…
而且，你們都自稱失掉了主車匙…
現在，傷人狂魔在逃，據目擊者說他在案發時丟掉了刻有安飛利標誌的主車匙的在地上…
相信當時疑犯用染有受害人鮮血的手來拾回車匙的…
疑犯為了確定身份是否曝光，折返現場…
後來發現被認出，於是拔足狂奔，轉眼便失去影蹤，所以我們懷疑疑犯是附近居民…
咇
我們有目擊証人的！
ドキ
所以，擁有利、沒有不在場據在附近居住和不能向警方出示懷疑染血的主車匙的你們三人都有嫌疑…
我真的不見了車匙啊！
是真是假，很快便會知道…

鑑證科的人來了！
鑑、鑑證科…
幹什麼？
他們來檢驗血液反應的！
高木探員始吧！
好…
你們照剛才電話中所說的去做吧…
知道！
先由左方的榎本先生的車開始…
喂喂…
你們不是搜查我有否把車匙藏在車內吧？
警察也不可以亂來的！
請放心，不會搜查車廂的…
柯南，到底他們在搜查什麼呀？
假如我是犯人的話，一定會把車匙丟掉的…
傻瓜，要調查的並非車匙啊…
呀？

疑犯從現場駕車逃走，車匙一定會插入…
司機位的車門的鎖匙孔的！
我明白了！所以手柄位置也會沾上血跡的！
但是，即使沾上也只不過些少而已…可以查得出來嗎？
可以的！血液反應只需一丁點的血跡便能檢驗出來…
不過，疑犯為了隱瞞証據，也有説謊和做了些手腳的…
説謊？做手腳？
回想一下！
那三人説案發時正在做什麼？
唔…
榎本先生説開快車上山崖…
福地先生就在商店街兜圈試車…
出川先生就在町內兜圈找尋拜託他開鎖的客人…
到底是誰説謊呀？

你們看！
愛車一族的出川先生的車是光亮的……
駕駛技術欠佳的福地先生就把車貼著隔鄰的車來停泊……
愛飛車的榎本先生的車就滿佈泥濘和刮花痕跡……
明白了嗎？
唔……
完全不明白！
那麼，元太平時怎樣練習騎單車的？
和媽媽一起練習啊……
在行人疏落的地方……
以免撞到途人嘛……
呀！
我明白了！

福地先生講大話！
假如駕駛技術欠佳的話，又怎會在人多擠迫的商店街來試車呢？
另外案發時正下著雨，視野模糊…
既然未確定汽車性能是否正常，又怎會在人多的街道上試車呢？
而且福地先生能與鄰車不偏不倚地泊成水平線…
這是技術的表現啊！技術不精的話一定會有偏差的！
那麼，犯人就是說謊的福地先生嗎？
對…因此他故意把車泊到難以檢驗車門手柄的位置…
但沒用的…
你們看，只要命令鄰車司機把車移動一下不就了以嗎？
接著把化學液體噴在車門附近…
嘶
當遇上血液便會呈現紫青色的光…

呀…
沒有反應哩…
呀？
什麼？
真的嗎？
高木，怎麼搞的？
剛才還自信地說一定查出犯人是誰…
呀…
我、我以為…
現在水落石出了…
三部車也沒有血液反應，我們可以走了吧…
我早說過我是無辜的！
請、請冷靜些…
柯南，你怎麼搞的？
和你說的不同啊…

咦？柯南呢？
去了那裡啊…好像説要借用鑑證科的鏍絲批…
什麼？
咦？這個孔從外面觸摸凹凹凸凸的…
呀？
很有趣啊！
呀！
喂…
パカ

小鬼！
停手！
噗
咯
!?

鎖匙蓋是用膠紙黐上去的！
原來如此…一早料到會有警察來調查，所以便從其他同款汽車中更換了鎖匙蓋…
那麼，把車水平地停泊的真正原因是…
想隱藏這個啊…
故意扮作用泊位不當而不打開這邊的車門，鎖匙蓋便不會脫下，即使從左邊車門進入車廂，也不會發現右車門是做過手腳的…
那麼，豈不是和柯南最初預計的一樣？
呀…這、這鎖匙蓋是原裝的！
只不過在裝嵌時不小心弄壞了，新的鎖匙蓋又未送到，所以唯有暫時用舊的黐上去而已…
那麼拿車匙給我看吧！那條刻有編號的車匙啊！
你身為汽車修停技工應該知道，在司機位那邊的門鎖是刻有編號的…
一看便知是否一致了…

還是想我們在軚盤旁邊的鎖匙孔位置噴上化學噴霧看看呀？
那裡一定有血液反應的…
你在短時間可以把車門鎖匙蓋換掉，但絕不能連軚盤也更換吧！
我、我知道了！
給你看看車匙好了！
唔…車匙好像放在…
嗦
喂，你…
嘰
開門呀！
嘰嘰

什麼？
パァァァ
後來據這名男子的口供說，犯罪動機是因為想做些令世人注意的事…
zzz…
來給平凡的生活多一點刺激…
パァァ
幸好在一連串傷人事件中並沒有人因而死去…
總算是不幸中之大幸了…
パァァ
但這名愚蠢的傢伙卻令米花警署引來一片嘈吵…
事件告一段落…
パァァァ

太好了！疑犯終於被拘捕了！
步美，以後不用提心吊膽了！
我才不怕啊！
唔？
為什麼？
因為有柯南保護我嘛！
呀…
當然還有光彥、元太和亞哀你們啦！所以我才不怕！
哦…
對不起…
我有事先走…
呀？

拜拜…
拜拜！
明天見！

噢，真高興了…
妳來探我嗎？
嘎
嘎
再、再過一會兒…
我可能會改變主意的…
嘎
嘎
有了決定嗎？
決定接受保護証人計劃是嗎？
呀…
我決定…
嘎
嘎

拒絕…
雖然能夠改名換姓，重新過生活，或許安然地活下去…
但同樣的惡夢總會回來…
難道要每日誠惶誠恐地過日子，一旦身份曝光又再改名換姓嗎？
而且，我並非太相信你們FBI…
還有…
還有…
我明白妳想把壞人繩之於法…
但忍耐也是勇氣的表現…
不過…
不過我…
不會逃避的！

愚蠢地逃避下去，是不會勝利的！
絕對不會啊！
我不想再逃避了…
……
是嗎…
果然如此…
你不會反對吧…
作為FBI探員我當然反對啦…
但作為以前曾經被追殺的女孩子…
我很明白你的感受…
努力吧！
再見…
ガチャ
パタン

チャ
哼…
十足十你小時候一樣…
拒絕接受証人保護計劃…
長大後卻加入了FBI…
……
タッ
占士，不同的…
她擁有一樣我小時候欠缺的東西…
唔？
是一樣非常危險…
卻可令人甘願為此而犧牲…
需要莫大勇氣的、溫暖的東西…

FILE 3 遺忘了的手提電話

我叫毛利小五郎…
是個私家偵探…
COFFEE
ポアロ
每日在調查一些懷疑丈夫不忠、尋人…
間中有些血腥的案件…
動機都離不開復仇、金錢、感情之類…
這世界已瘋了…
保険金殺人解決
每當偵探的工作令我感到困倦時…
我都會來這間波亞路咖啡室…
嘆杯香濃的咖啡…
使疲累的心鬆弛一下…

好熱呀~
真失禮…
很少見你這麼早的…
有客人約了你嗎？
不是！小蘭昨日入了空手道訓練營，無人煮早餐而已…
哦…
而且今天是星期日…
就當是讓腦筋休息一下，遠離案件…
倍賞周平
各位市民，早晨！
我是倍賞周平！
COFFEE
ポアロ
請各位投我一票，我會致力使這個城市更美好！
哈…
鈴
鈴
電話呀…
喂，毛利偵探社…

嘰嘰～
亞廣，起身了，八時半了～
再不起身，由香不睬你啊～
妳睡醒未呀！下次看清楚電話號碼才打呀！
討厭！
討厭！討厭！
吣
毛利先生…
請問…你有空嗎？
什麼？
當然有啦！根本無生意…
但你是大偵探，不好意思麻煩你的…
唔？
小梓，妳有事嗎？
有人欺負妳嗎？
男朋友對妳不忠嗎？
不、不是…

4

兩日前，有一件奇怪的東西遺留在店內…
我希望你能替我找尋物主啊…
原來是尋人…
那件奇怪的東西是什麼？
呀…
就是這個了…
唔？
手提電話？
外殼的確有點奇怪，但沒什麼不妥吧…
假如物主想尋回電話的話，一定會打來的…
其實，曾經響過三次的…
呀？
三次？
是，但當我接聽…
那人第一次說…

「咦？對不起，打錯了」…
打錯？
第二次説「咦？奇怪了…電話沒有響嗎？」…
身旁好像還有人…我還未回答，他便掛線了…
他一定是想憑鈴聲找尋電話了！
這部手提電話的機主托朋友打來，希望憑著鈴聲的位置找尋…
可惜身處的地方完全聽不見鈴聲，起初便以為自己打錯了！
很多人連自己的電話號碼也記不清楚的！
但是，電話中的人並非機主本人啊…
什麼？
妳怎知道的？
因為，第三個打來的電話…
突然改變語氣…

喂！你這個賤女人！再不叫那傢伙出來…
我便幹掉他！
是一把兇神惡殺的聲音…
殺…
殺死他？
那麼，梓姐姐妳怎樣回答？
有沒有向他解釋呢？
呀、呀…
我一時害怕，把手機也關掉了…
呀…
怎搞的…
翌日，我把此事告訴店長，卻被他責罵…
之後開了一整天也沒有再來電了…
唔…
都是我不好，突然關掉電源…
不…
沒有來電一點也不出奇…

這電話根本打不通的！
什麼？
聽吧！按撥號鍵時便隨即發出通話中的「嘟嘟」一聲的…
是哩…
我知道了！一定是機主過期沒交月費，所以被停台了！
看來，那個兇神惡殺的男人一定是收數了！
即是說，收數公司起初以為機主是獨居者，當聽到有女人接聽時便以為自己打錯…
第二次確定號碼後再撥…
第三次卻被掛斷線！
那麼，對方說「有響鈴嗎？」又是什麼意思？
可能收數公司的人是在機主所住的單位外打電話的，發覺電話接通卻沒有鈴聲，覺得奇怪吧…
遺下手機的客人到底是怎麼樣的？
唔…

那人在午飯過後的時間才來的，帶眼鏡、身材略肥…
常常一面進食、一面拿著手機，目不轉睛地盯視著的…
第一次打電話來是那人離開店後約一小時…
第二次是之後不久，而第三次就在三十分鐘後…
唔…
打電話來的傢伙沒有來電顯示…
而之前又沒有撥號和接聽記錄…
但手機的電話簿中有很多姓名和號碼啊…
呀？
那有沒有致電看看？
有是有的…
但全部都是些資料性的號碼而已…
而且看來都是一堆偽名…
唔？
咇
咇

果然…
所有的名字都是用片假名輸入的，真奇怪…
相田ケン・
石沢セイサク
内海ショウコ・
来嶋クミ・
島木セツ・
東部シン・
徳田コウ・
而號碼方面…
吣
吣
果然有古怪…
哪有電話號碼是1字開始的…
相田ケン・
1027000800
咦？
名字旁邊那黑點是…
相田ケ
呀，我也留意到…有些名字有，有些沒有的…
是啊…
難道號碼是一些暗號？
這部手機在什麼位置遺下的？
唔…

就正好是毛利先生坐著的梳化下面的縫隙位置啊…
相信是機主想把電話收進褲袋時，不小心跌在地上卻未有察覺，最後用腳把電話踢進縫隙裡去…
直到剛才提過那男人打來時，鈴聲響起才被發現…
鈴
鈴
當時天線是伸了出來的！
什麼？
這部電話當時是摺起來嗎？
是的…
所以我想應該是收進褲袋時丟下的…
那就奇怪了…
什麼？
既然把手機摺起來袋進褲袋裡…
一般都會把天線收起的…
是啊！為免不小心弄斷天線嘛…
好明顯機主是個魯莽的傢伙…
又或者…

他是故意等電話響起時被人發現…
所以才收藏在那裡…
叔叔，你説對不對？
對、對…
但到底有什麼目的呢？
始終查不到機主身份嗎？
機主就易查不過啦！
呀？
怎樣查呀？
小梓，每部手提電話…
當拆除外殼…
取出裡面的電池的話…

便會發現一張製造編號的標貼…
只要向廠商查詢那編號，便會知道售出這電話的零售店…
啪
再去那店鋪調查一下，一定查出機主姓名的…
咦？
沒、沒有？
標貼被撕去了！
怎會的？
……
可以再詳細一點告訴我關於那個客人的特徵嗎？
再詳細一點…
如何細微鎖碎也好，盡量想想吧！
呀…
說起來…

那個客人所叫的炒麵、薄餅、蕃茄汁果芭菲、鮮和凱撒沙津…
剛好合共三千日圓啊！
假如不是這五款菜式組合的話，便不能湊巧地合共三千日圓了，好感動啊！
……
嗯…
又是你自己説什麼鎖碎事情也可以的…
那男人真大食…
完全不像被人上門追債的傢伙哩…
另外，我曾心想工作中也吃這麼多東西，真厲害了…
工作中？
因為…
他要求取回收據的！
收據？
抬頭是誰？

就是「敬啟者」而已…
唉…
但單獨進食後要求取回收據…
似乎不是一般的公司職員…
看來應該是公幹中的文員，又或者是自僱人仕…
其餘還有什麼人有這種習慣的？
唔…例如私家偵探呀…
警察呀…
哦…
原來巡警吃完飯一定要取收據的嗎？
呀，不…
那是刑警啊！
當他們執行職務期間…
刑警是可以憑單據領取交通費、飲食費之類的…

我們這些穿制服的巡警就沒有這種福利了…
咦？妳不是那個經常和高木一起的…
由美姐姐，妳怎會在這裡的？
當然啦！
我是奉命來催促違例泊車的大偵探邀交罰款的…
哈，我、我今日會去交了…
我說笑而已…
哼…
我其實是來追查一個男人的…
呀？
但線索就只有這個…
領收書
上様
¥3,000.—
但食事代
收入印紙
喫茶 ポアロ

三…
三千日圓！
妳要追查那傢伙是否帶眼鏡、身材略肥的男人呀！
是、是啊…
妳知道他在哪裡嗎？
知、知道…
那就好了！終於可以把電話物歸原主了…
物歸原主…？
那男人早前在這裡遺下了手提電話…
曾經幾次有些怪電話打來，嚇壞人了…
呀…
但看來不行了…

那男人在前晚…
死了…
什麼？
怎…
怎會的…

FILE 4
奇怪的記憶

我叫毛利小五郎…
是個私家偵探…
COFFEE
ポアロ
天色晴朗的春天的星期日，我到相熟的波亞路咖啡室打算享受一杯香濃的咖啡，就當作是戰士的休假，好使自己恢復元氣…
可是無情的事件又發生了…
委託人是咖啡室的女侍應榎本梓…
兩日前，一名客人在店內遺下了手提電話，她希望能尋回機主…
從她口中得知機主帶眼鏡、略肥，在店內吃了三千日圓的午飯，飽肚後便離開…
從收銀處取走一張收據…

2

奇怪在那部手提電話…
雖然有過三個沒有來電顯示的電話，但卻沒有撥電記錄，在手機的電話簿中的電話號碼全卻是一些資料性的數字…
而名字方面也採用了片假名…
在姓名旁邊有些會有一個黑點…
而且，手機背部的製造編號標貼被人撕去…
使人無法追尋機主資料…
唯一的線索就只有曾經打來的三個電話中的男人…
當小梓接聽時，頭兩次都客氣地說打錯電話…
但最後一次卻兇神惡殺地呼喝要找機主…
之後，電話便無故地無法再接通了，初步相信因為機主欠交台費吧…
突然，警視廳交通部的宮本由美在眼前出現…
她手持著一張懷疑是機主的三千日圓收據…
當我問到那男子所蹤時…
她竟然給我一個意外的答案…

那男人在前晚…
死了…
什麼？
怎、怎會的？
難道是被人謀殺嗎？
不是啊！
他在三丁目的路口被貨車撞死的！
交通意外…
說起來，新聞的確報導過三丁目發生了交通意外的…
沒錯，意外在前晚深夜二時前發生的…
雖然即時送往醫院搶救，可惜延至深夜死去…

由於死者身份不明，所以到來調查一下的！
等等啊！妳意思說那個貨車司機逃去了嗎…？
不…貨車司機並沒有逃走，反正他知道錯不在他…
因為據現場目擊者說，當時他未有等待綠燈，便匆忙地衝出馬路…
是自殺嗎？
似乎不是…
那人被撞倒前還向現場附近一間便利店問路…
當時語帶慌忙地說：「請問你知道波亞路咖啡室在哪裡嗎？」…
一個打算尋死的人沒必要查詢兩公里以外的店子位置吧…
但總算知道死者衝出馬路的原因，就是要趕往這裡…
呀…
即是說，那男人為了趕返這裡取回手提電話，不小心被貨車撞死…
不是…

手提電話被摺起藏在梳化底，但天線卻伸出…
明顯地是希望有人能憑著鈴聲發現它…
若果電話是不小心遺下的，似乎太不自然了…
而且，電話中的記憶有著一些奇怪的姓名和電話號碼…
相田ケン・
石沢セイサク
内海ショウコ・
到底…
那男人來這裡幹什麼？
意外是兩日前發生的…
現在才到這裡調查，效率太慢了…
沒法啦…
死者身上並沒有身份證明文件…
只有收據…
一大堆哩…
呵…

在杯戶、利善和賢橋…
都是東京都內的區域…
沒錯！我們憑著收據的日期先後，逐間調查，最後終於來到這裡！
當中雖然有人對死者有點印象…
但詳細的資料就沒有了…
唔…
難道他真的為逃避大耳窿的追數，所以到處躲避…
追數？
是的，有人曾經打過電話來…
兇神惡殺地說「叫那傢伙出來，否則幹掉他」，是個男的…
真的嗎？
是、是啊！那名客人離開後約一小時，電話響過三次…
我因為太害怕，便把手機關掉，之後便一直沒有打來了…
我勸妳從收數公司方面入手吧…
他們一定有借貸人的姓名和地址等資料的…
………

哈哈哈！叔叔正蠢才啊！
說什麼？
那個惡人既然懂得打電話來，當然是知道這個手機號碼的…
假如我是那惡人，當電話無法接通，一定會打電話到電話公司質問所撥的號碼發生了什麼問題的！
何需這麼費時失事呢？
所以只要問問電話公司，是否曾經有一個惡人打電話來查詢過便知道了…
或許他們會把曾被查詢的電話號碼等資料告訴我們的…
哼…
蠢才！
我們不是警察，電話公司怎會向一般人透露機主的電話號碼、姓名和住址等資料呀！
就是這種兇惡語氣了，打電話問問吧…
呀，我的確試過一時情急下那樣做的…
當時，我相約到朋友家的途中迷路了，本來打算打電話問她怎麼走的，可惜剛巧對方的電話沒有電…
於是便打去電話公司查詢機主的地址…

雖然最後沒有告訴我，但後來我改向派出所查詢時，巡警便憑著姓名替我查出她的住址了…
假如對方心急想找電話機主的話，可能真的會致電到電話公司查詢也不出奇啊…
說得對…
我問問電話公司…
到底有沒有這樣的人打來詢問過…
當警察真好，什麼也可以問…
嘻！有時的確幾方便的…
只要查出電話號碼，就自然知道機主的姓名和地址了！
……
吣
吣
對了…
只要打短訊地址保留，同樣可以追尋到的…
那個女人比蒙特所發出的短訊…
追蹤那傢伙…
黑衣人組織的所在…

呀，係…
是這樣嗎？
好的！
唔？
共有三個啊！
由前日至昨日為止…
三、三個？
吣
第一個是準備往面試會場，但把地址遺留在家中…
但怕打電話給面試的負責人會給對方壞印象，所以懇求電話公司說出該公司地址…
另一人是女兒離家出走後打電話回來…
他想知道那組電話號碼的地址…
至於第三個，是在旅途中認識的新朋友，對方一直很照顧他，可是臨分手前卻誤把手提電話放在自己的行李中…
為了報答他，所以希望能直接把電話交還，故要求電話公司告訴他機主的姓名和地址…

是、
是他了！
我也這樣想…只有最後一人是查問手提電話號碼的…
那麼，號碼是…
這個…他們始終不肯説，所以無法得知那三人的電話號碼…
而且，據知三人都不在家，是在途中撥電話的，所以無法從固網線路查出致電者的身份…
途中…即是哪裡？
一個是在前晚，在米花站的三號月台上…
另一個是昨午，在「阿波羅」體育用品店…
第三個是昨日黃昏，在「哥倫布」餐廳中…
但麻煩的是…他們記不起打來查問手提電話號碼那人是在何時、何地打來的…
只知道三人都是中年男人的聲音而已…
呀，對了…
雖然他們沒有告訴那三人，但只有打來查問手提電話號碼那人是突然自己掛斷線的！
突然？
是啊！聽説當時電話中有些聲音…

遮蓋了彼此的談話…
聲浪非常大…
由於只是短短一瞬間，所以無法辨認是什麼聲音…
唔…
……
現在唯有到現場調查一下…
就是那三人撥電話的位置…
什麼？
TR
米花駅
BEIKA STATION
三號月台的公眾電話？
前晚嗎？有很多人用過，怎記得呀？
呀，是嗎…
喂，會不會是那人呀？
唔？
在電話前猶疑了很久那個啊…

說起來，有一個男人…
高大、穿大褸、惡形惡相的…
那人在打電話的時候，身後有否曾經發出過巨大的聲音呢？
或多或少會有吧！這裡是火車站嘛…
你聽！
以賢橋為總站的列車即將到達二號月台！
對了！
請勿站越黃線！
是車站的宣佈啊！
今晚也可能會見到那男人的…
最近他經常在月台出現…
那麼，一見到他請聯絡我們…
那人…就是電話中那個惡漢嗎？
暫時還未能確定的…
咇

呀，有啊！
SPORTS SHOP
アポロ
APOLLO
昨日下午有個角字口面的大叔來借電話…
他說手機沒電，身上又沒有硬幣…
什麼？巨大的聲音？
是的，令電話中斷的聲音…當時有沒有？
呀…那一定是…
路面工程的嘈音了…
一星期前在對面銀行門口有修路工程…
下午開始便不斷發出嘈音！
工程的聲音嗎？
轟轟…
唔…
他再來的話便通知你吧！
他說過會回來道謝的…
那拜託你了…

Restaurant コロンボ
昨日黃昏？
呀…相信你是指這裡的熟客吧！
經常帶著淺啡色太陽眼鏡，沉默寡言的客人…他忘記帶手機，所以借用店子裡的電話，但卻不小心把硬幣碰跌，散佈在地上，所以我才特別有印象…
什麼？講電話途中的巨大聲浪？
是的…有聽見什麼嗎？
唔…這裡氣氛很寧靜的，哪會…
東京都的市民，大家好！
我是倍賞周平！
呀，對了！每逢下午和黃昏時份都會有這些選舉廣播的…
是選舉的宣傳聲音…
三個人都有可疑…
……
等等…
電話記憶中的數字…
吣
吣

果然如此……
セイサク
1028000200
咇
每一組……
采嶋クミ・
1022000150
咇
第四個數字都接近……
東部シン・
1026000400
小五郎叔叔……
今次……
你又有機會出鋒頭了！

FILE 5
另一個名偵探
相田ケン・
1027000800

我叫毛利小五郎…
是個私家偵探…
COFFEE
ポアロ
受「波亞路」咖啡室的女侍應小梓所託…
找尋兩日前下午在店內遺下的手提電話的男機主，此人略肥、帶眼鏡…
翻查手機中的記錄…
完全沒有任何來電或撥電號碼的記錄…
其間，一名可疑男子曾經三度致電…
第一次為打錯電話而道歉…第二次聽不見手機響鈴而奇怪…
第三次就兇神惡殺地要找機主，後來手機更像被停台般無法打出…
女警由美為追查那名胖子來到波亞路咖啡室…
並告訴我們說已不能把手機物歸原主了…
因為那男子在兩日前的中午過後，遇上交通意外身亡…

可是，死者身上並沒有任何身份證明文件，我們正極力追查當事人身份…
唯一的線索就只有曾經三次來電，卻沒有來電顯示那名男子…
我們懷疑他在情急下，會質問電話公司那胖子的手機何故會無法接通…
並憑電話號碼要求說出機主的姓名和地址…
電話公司透露曾經接過三個電話查詢…
三人都並非用自己的電話打出，而是在途中借用電話的…
當然，我們已到借用電話的地方調查過…
已初步取得借用電話者的資料…
分別是惡形惡相的、平頭裝的和帶太陽眼鏡的男人…
唔…當日兇神惡殺地打電話來找胖子的男人，相信就在那三人之中…
但三人同時也有可疑…
令我覺得奇怪的人還有一個…
那就是每次遇上案件發生都纏在我身旁…

這個「四眼小鬼頭」…
他一直望著有問題的手機微笑…
一定又會招牌地說句「咦咦咦？」吧…
咦咦咦？
奇怪了…！
話口未完…
你看！手機裡面的電話號碼…
梅田ケン・
1027000800
頭四個數字非常近似的！
唔？
是的…
石沢セイサク
1028000200
咇
每一組都…
非常接近…
賢橋ショウ
1025000350

難道全部都是附近的居民嗎？
蠢才！
我已說過沒有電話號碼是一字開始和十個位的！
相信這是那胖子機主在工作上認識的人們的先後次序吧！
但有過千個那麼多，人面真廣了…
又或者是電話推銷員，替顧客編定的號碼吧…
那麼，在姓名旁邊的黑點又代表什麼？
可能是電話推銷期間有興趣再幫襯的客人的標記吧…
後面那150或600之類的數字就代表購買了的貨品數量…
那就奇怪了…
唔？
因為頭四個數字在1022前的一個也沒有，但編號1031的卻有兩個！
你看，雖然有1101，但卻缺少了1032至1100啊！
假如是順序編號的話，那麼1031至1101之間的人哪裡去了？
我怎知道呀？
呀…
會不會是…

表示日期呢？
1031就代表10月31日
1101就代表11月1日
1031000
10月31日
1101000
11月1日
對啊…這樣的話，就解得通了…
等等…去年的十月尾至十一月頭…
剛巧是東京議會選舉的日子…
是啊！
而且還有區際棒球大會和秋祭準備最繁忙的日子…
這男子肯定不是區內人呢…
嘿…
唔…頭四個數字代表日期的話，那麼後四個數字就代表訪問的時間吧…
150是一時五十分，600是六時正…
另外，姓氏用漢字，名字用片假名…
是因為訪問期間只知道對方姓名的讀音，並沒有詳細詢問名字的漢字寫法…
難道那胖子向顧客推銷一些劣貨，所以被人家找晦氣…？
那是誰呢？

當然是沒有來電顯示、兇神惡殺地嚷著要找機主出來…
再要求電話公司憑手機號碼查看機主的姓名和地址那傢伙啦！
假如知道當時打電話的人是誰，再從他的手機號碼追查對方身份的話，便不難進一步查出這手機的機主身份的…
但在差不多時間，還有其他人打到電話公司查詢過的…
打電話的共有三人…
前晚在米花站月台，惡形惡相的男人…
昨日下午，在阿波羅體育用品店借電話的短髮男子…
和昨日黃昏在哥倫布餐廳打電話的帶太陽眼鏡的男子…
而只有兇惡的男子講電話時，身後有巨大的聲浪發出，並突然把電話掛斷線…
巨大的聲浪…
車站月台上有喇叭廣播…
體育用品店門前有修路工程…
餐廳外的大街有選舉宣傳廣播…
可惡！胖子一時心急想取回手提電話，最後慘被貨車撞死，可憐的是連身份也查不到…
叔叔…

真的是這樣嗎？
什麼？
假如是我遺失手提電話的話，一定會立刻打電話看看，然後拜託對方替我保管著的！
而且，最奇怪是手機遺失的位置…
天線伸出，但卻摺起來藏在梳化下的縫隙之中…
的確很奇怪，好像是叫人憑鈴聲找出電話似的…
說到鈴聲，第二次打來的男人說過「電話有響過嗎？」這句話的…
難道是死者吩咐那男人打他的手機號碼…
然後著他靜悄悄地到來拾取…
不會的！要是這樣，為何他不直接叫那男子來這裡呢？
況且電話響起，萬一被客人或侍應先發現的話，他便不能靜悄悄地回來拾取了！
叔叔說得對！
既然打算靜悄悄回來拾取，又怎會故意折返呢？

8

除非有人把地點弄錯了…
弄…
弄錯了？
說起來，胖子被撞死前曾經打探過這店的位置的…
相信他對這區不太熟悉…
那就奇怪了…
亞、亞波羅啊！
若說弄錯店名的話，那間體育用品店和這裡「波亞路」就最相似了！
小梓，一間是咖啡室，一間是體育用品店，沒理由會搞錯吧？
也是的…
為什麼這裡叫波亞路呢？
因為店主很喜歡偵探推理的，艾基波亞路這名字，你應該聽過吧！
那個肥胖的中年男人呢…
我在電視看過了！

常常說「天有眼了…」這句口頭禪…
愛穿深色大褸那個刑警嘛！
不是啊！那個不是波亞路…
是哥倫布…
呀…
難道因為同樣是偵探主角的名字…
沒錯，二人同樣並非有型有款，但都是以面懵心精的形象演出的…
而且，哥倫布和波亞路同在五丁目…
那個人客一定是只記著在米花町五丁目一間和偵探名字相同的店子，因此搞錯了也不足為奇的…
不如去看看…
另一間名偵探的店子吧！
COFFEE
ポアロ

呀…你們是剛才打電話來的警察嗎？
Restaurant コロンボ
那個帶太陽眼鏡的客人還未來啊…
是嗎？
小梓，妳離開咖啡店沒問題嗎？
沒問題的，店主說只要黃昏的繁忙時段回來便可以…
我也想把事件搞清楚…
請問那個客人有沒有來問過什麼？
呀…他上次來的時候問過…
有沒有見過一部遺下的手提電話啊…
應該是他了…
對…
カランン
呀，他來了…

就是他了…
那人客有什麼不妥呢？
不，沒什麼…
我去問問他…
只要聽他的聲音，便能辨到當日打電話來的人是不是他了…
呀，不如…
等…
我…
不如等你什麼呀？
不如…聽完我的推理才去吧…

首先，在手機的記憶中輸入的奇怪片假名的名字…
表面看來是一般人的名字，但其實全部是一些省略了的名稱…
名稱？
這樣說會比較易明白…
在記憶的姓名之中，有些人的名字是比較古怪的…
你是說賢橋Sho、大渡間Cho這些嗎？
用地名或站名作姓氏就見得多，但這樣的名字就從未見過…
沒錯，相信那是土地附屬團體的名稱…
例如賢橋Sho是指賢橋商店街，大渡間Cho就指大渡間町內會…
照這樣說，其他的名字可能是…
相田Ken是相田建設，石澤Sei是石澤製作所…
另外，跟名字一起輸入電話記憶中的十位數字…
頭四個是日期，之後的是金額…
而在名字旁邊有黑點的是秘密贊助的團體和超支狀況…
1027000800
從日期集中在去年的選舉期間考慮，答案只得一個…
難、難道是…

選舉資金的帳目！
沒錯…
雖然現在仍未查出那胖子到底是何方神聖，如何能取得這些機密帳目…
但估計他想憑手上的犯罪証據勒索對方金錢…
他把這些帳目輸入手機內，是想向對方證明自己的確擁有這些資料…
那麼，那個男人是…
相信就是在附近街道宣傳選舉投票廣播的倍賞議員僱用的人…
呀？
他是為了取回秘密帳目而來的…
帶太陽眼鏡的男人向電話公司查詢時突然掛線，是因為他聽到倍賞議員的選舉車的喇叭聲浪…
由於正在替倍賞追尋手握秘密帳目那傢伙，為免被人聯想到事件和倍賞有關，於是便疑心生暗鬼地掛斷線了…
另外，指定在此店進行交收的人正是這裡的常客的那個帶太陽眼鏡的男子…
本來計劃在這裡撥電話，然後憑鈴聲拾取那手機的，可惜那胖子把地點弄錯了！

但為何那胖子知道自己弄錯地點，不即時打電話來我店呢？
可能因為當他發覺時已經過了原來的約定時間吧…
本來他可以叫帶太陽眼鏡的男人親自打去波亞路咖啡室問問地址，然後取回那部手提電話的…
但他又怕聲音被那男人認出…
相信那胖子一直以傳真或電郵的形式與對方交涉交易金額的，因此對方便無法認出他的樣貌和聲音，也無法查出他的真正身份…
把手提電話解約和撕去製造編號標貼也是為了這個緣故…
那麼，胖子心急返回波亞路是因為…
因為他想確定帶太陽鏡的男人有否取走手機啊！萬一有客人拾到，把它交到警方手裡，一切便功虧一簣了…
但這種情況下，那男子一定不會坦白招認的，但單靠手機裡的秘密帳目又似乎証據不足…
放心，我有辦法…
柯南！
係！
小梓姐姐，來吧！
呀？
幹什麼？
小梓姐姐呀…

那部手提電話到底是誰的呢？
只有一些奇怪的姓名和數字…
噢！小鬼頭！
不、不是…小朋友，電話是我的…
呀？真的？
拿出証據來吧！
証據？
假如電話是你的話，一定知道電話號碼的！
把電話號碼說出來，我打打看便清楚了！
別囉嗦！快拿來…
咦？有個女警…
我去交給那巡警姐姐…
等等…
我告訴你…

這樣，便取得胖子的手機號碼…
警方根據號碼查出胖子的居住地址，入屋搜查…
最後，知道胖子是個報館記者…
家中藏有大量收據，和有問題的秘密帳目影印本…
當中清楚寫上姓名、日期和金額…
是非常有力的証據…
當警方再進一步調查…
便發現選舉期間，倍賞議員曾經賄賂多個組織團體，同時也有接受賄賂…
COFFEE
ポアロ
最後…
我叫毛利小五郎…
沉睡小五郎再露鋒芒！
揭穿惡行議員倍賞周平真面目！

是個「大偵探」！
對我來說，沒有案件破不了的…
鈴
電話…
鈴
一定又有案件發生了…
鈴
喂，我是名偵探…
呀，爸爸，是我呀！
今日學校有活動，你自己去買？煮飯吧！
買馬鈴薯、洋葱、豬扒、生果…
晚吃咖哩嗎？
這個偵探真無聊…

FILE 6
誰的推理表演

什麼？不去？
柯南，你不是一直很期待博士的新作遊戲嗎？
明明約好今晚一起在博士家過夜的…
明天是星期日啊！
有什麼緊要事嗎？
呀、呀…
是的…
先走了！
………
有什麼事呢？
今日又沒有足球比賽…
一定又和推理有關吧…
呀，今日是人氣推理小說的發售日啊！
書名好像是…

係！
偵探左文字系列的FILE 44
偵探左文字系列 FILE 44
惡魔留下的遺書
下
新名香保里
「惡魔留下的遺書」下集！
我知你一定會回來買，所以留了一本給你！
真的嗎？
書店
BOOKS
米花書店
叔叔，多謝你啊！
太好了！
終於等到下集出版了…
所有遊戲通通暫停！
趕快吃完晚飯，臨睡前要把它看完！
然後明天再看一次！
因為實在太精采了！
我回來…
3

呀…
你回來了嗎…？
這小鬼回來了，一起去找些好東西吃吧！
好啊！反正時間尚早，去遠一點的地方吃也無妨！
小蘭，有什麼好介紹？
唔…
小鬼，想吃什麼呀？
……
壽司還是中國菜？
PASS（不去）…

PASS…？Pasta嗎？意大利菜？
呀？
是啊，杯戶町剛剛新開了一間Pasta店啊！
就去試試看吧！
也好，杯戶町比較近…
就這樣決定吧！
……
很飽了，多謝！
間中吃吃意大利菜也不錯哩…
真沒來錯！
的確很好吃啊！
平次哥哥…
你到底和和葉姐姐來幹什麼？

你個「死黑鬼」…
死、死黑鬼…？
喂，你小心說話啊！
這算什麼態度呀？忘記了上次我假扮你，幫了你一把嗎？
的確要多謝你的，但一件還一件…
你突然來找我幹什麼？
我很忙的！
我知道！
所以我專程從關西來問問你的日程表，好等我配合啊！
日程表？
現在放暑假！
我想招呼小蘭你們…
去大阪一趟啊…
又去大阪？
今次不同的！
是大阪有名的…

寶塚歌劇！
甲子園棒球賽！
甲、甲子園？
寶塚？
兩個是兵庫縣來的嗎？
我幾時說過要去看棒球呀？
我也沒興趣看什麼歌劇啊！
我早跟你說過的！鄰居的嬸嬸已給我入場券了！
我以為妳說說罷了！
兩樣也看不行嗎？
好辦法！
我先和你們去看高校棒球決勝戰吧…
什麼？

不行…
不能兩樣一起去的…
什麼？
難道又是那大嬸嗎？
那個五人黨真是…
什麼回事呀？
附近有一班出名的寶塚迷…
用一年儲回來的金錢買下整個暑假期間寶塚的入場券，晚晚去觀看…
就只有一日，無可奈何地要放棄辛苦買回來的門券…
難道就是…
甲子園決勝戰？
沒錯，因為那五人所屬公司的社長是高校棒球迷，每逢甲子園有比賽，他都會休假去觀看的，而在決勝戰當日，他更會下令公司全體出動，到現場觀看支持的，所以當日的寶塚門券就只有割讓給我了…
原來如此…難怪每年甲子園決勝戰的門券早早就售罄了！
那沒法啦…

唯有放棄和葉吧…
寶塚歌劇的演出晚晚一樣…
但夏季甲子園的決勝戰一年只有一次，是認真的生死戰啊！
你說什麼？高校棒球晚上在電視新聞也有報導，看精華片段不一樣嗎？
但寶塚歌劇是貴價票，不是一般人買得到的！
蠢才！棒球一定要現場看才過癮的！只看賽果有什麼意思？
寶塚才應該現場觀看啊！
小蘭，妳也想看寶塚多一點吧…
是、是…
小鬼，是男人的話就去看棒球吧…
是、是…
叔叔你呢？
唔…作為熱血男子是應該看甲子園的！
但論高貴熱情就要說寶塚了…
到底看哪個？
不、不如這樣吧…

用推理來分勝負，勝出的一方決定去哪裡吧…
用推理…
來分勝負？
上月尾有一間公司發生殺人事件…
目暮探長認為事件有可疑，想借助我的推理智慧協助破案…
那間公司就在附近，吃完飯後我帶你們去吧…
如何？
……
本來我不想以命案作為賭注的，但兇手仍然在逃…
假如能及早破案也不太差吧…
和葉…
來決勝負吧？

別說笑了！說到推理，我怎跟你鬥呀？
和葉，這個妳大可放心…
有我毛利小五郎幫妳…
真的嗎？
多謝你啊！
不用客氣！我沉睡小五郎向來喜歡鋤強扶弱的…
哼！你自己想去看寶塚女舞蹈員穿黑絲襪跳肯肯舞罷了…
小蘭，妳會幫我嗎？
當然！為去寶塚，加油啊！
妳有他們幫手就好啦…
呸…
我就可憐了…
只有…
這個四眼小子幫我！
哈…我才可憐哩…

呀，毛利…
等你很久了…
東部信販
什谷玩具製作所
(有)
對不起，要你專程過來…
不要客氣…
只不過自從揭發惡行議員的行賄案以後…
我便忙到不得了！
唉…早知不叫這傢伙來…
先入來吧…
唔該借歪…
呀？
服部？
喂，關係者以外不能進入的…
算吧…
反正鑑證科一早調查完了…
先告訴我…
事件的始末吧…

被殺的是這間玩具製作所的社長什谷賢仁，五十三歲…
這裡是社長的自宅兼製作所…
估計死亡時間是六月廿九日的星期日下午五時許…
被發現是於翌日，星期一的上午十時許…
這間公司的四名員工最先發現的…
他們慣常於上班前在對面的咖啡室吃早餐，然後等待社長到來叫他們…
過了上班時間九時半，社長還未到來…
當他們用後備匙開門之際，便發現…
便發現社長被人用繩綑綁，然後用哥爾夫球棒打死…
伏屍在這張桌子的影子下！
唔？

平次，你怎知道的？
死者背部染有翻倒了的墨水對嗎？
相信兇手和社長糾纏時弄翻了桌上的墨水…
但沒有理會地把社長綑綁起來…
那時候染在繩上的墨水在地上留下痕跡…
這就是社長被綑綁著的証據了…
那麼，你怎知道社長被哥爾夫球棒打死的？
因為只有頭部位置有血跡…
頭側約十厘米的位置有幾條細長的痕跡…
這就是兇手擊打死者頭部時，用球棒誤打在地上的証據了…
但為什麼要把他綁起才打呢？
一定是威脅他說出夾萬的密碼吧…

你看，那個夾萬門打開了…
是的…一定是外來的竊匪所為了…
是否外人所為現在言之尚早，但兇手綁起社長，迫他說出密碼…
成功偷取款項後還要用哥爾夫球棒殺人滅口，很明顯是怕樣貌被人認出…
探長，對嗎？
呀，對…
爸爸，你怎麼攪的？
被他們出盡鋒頭了！
是、是嗎？
其實，一看現場環境便知道啦！
我想未必的…
還有其他怪事嗎？
呀？
想清楚吧！
呀…
在社長的屍體旁邊發現這東西啊…

是四件積木…
積木？地上還有很多啊…
不…但只有這四件有社長的指紋和染有墨水的…
把染有墨水那面翻過來看…
!?
玩…
玩具？（おもちゃ…玩具）

FILE 7
六面體的訊息

玩…
玩具？
不…可能是「餅店」吧？
不會吧！
是的…
積木中有促音的小「つ」和小「や」的…
呀，探長！可否把告訴我這些積木的相片的擺放位置呢？
好的…

這是屍體發現時的相片…
額頭流血倒下的人是…
對…就是被擊斃的玩具製作所社長什谷…
那四件積木就是放置在社長的左下角…
但不知何故，在「お」「も」「ち」「や」四件上都發現社長的指紋和墨水…
那些墨水應該就是翻倒在桌上的墨水吧…
問題是到底誰人把這些墨水染到積木上去的…？
由積木上有社長的指紋看來…
初步懷疑是兇手把積木放在社長手上的…
真的只有那四件積木留有社長的指紋嗎？
不是，雖然其他散佈在地上的積木也有…
但只有這四件才染有桌上的墨水跡啊…
六面同時留下死者的指紋…
看來這四件積木…

是社長被殺前遺下的……
死亡訊息啊！
什麼？你怎知道的？
你看看現場的照片！
社長的手被綁在後面……
這樣他要取出想要的積木也絕非易事……
積木的六面同時留下指紋是因為他要利用背後的手指去摸索積木上的坑紋……
以確認要染上墨水的一面……
地上的積木堆積如山，要找出其中四件就難免會觸及其他積木，但不用每一面也去觸摸的……
這些積木都是以行段來區分的，只要其中一面並非社長想要的字所屬的行段，其他五面便不用再去觸摸了……
原來如此……所以只有這四件的每一面也留下了指紋……
另外……

所謂指紋，就是因指尖的汗水和脂肪而形成的，人死後汗和脂肪也會停止…
死者即使手握積木，但能夠清楚留下指紋的最多只有最初一兩件而已…之後的便會變得越來越模糊，無法看清…
四散在地上的繩索上的墨水跡也是證據…
相信社長是趁兇手不留意時，偷偷挑選背後的四件積木…
然後反轉身體使所需的一面染上墨水，再反轉身體把積木放回原處。
由於他害怕不知何時會被殺，手心不斷出汗…
5
因此，社長便焦急地要在被兇手發現前留下線索，故沒有理會是否促音的小「ゃ」還是大「や」了…
這裡是玩具製作公司，社長留下「玩具」這個死亡訊息一定有意思的…
厲害…
才來到不久…
便瞭如指掌了…
是啊！
平次好…

小蘭…正蠢才啊！
平次是我們的敵人啊！
現在正和他作推理比賽…
用甲子園和寶塚來打賭的！
我們一定要比平次早一步把事件解決，首先要盡快理解這個「玩具」所指的死亡訊息才行…
道在這裡的玩具是某些提示嗎？
不會吧…玩具並沒有什麼特別的！
什麼？
真的嗎？
當我看見這四件積木帶出的死亡訊息時便隨著這線索調查，把公司內所有東西都搜查過了…
那麼，難道還有別的意思？
別的意思？
這四個字還有其他組合嗎？

omoyachi、ochimoya、ochiyamo…
oyamochi、oyachimo、mochiyao…
唉！都是沒意思的！
真的沒發現其他可疑物件嗎？
呀…有呀…
在現場發現兇手用過的兇器哥爾夫球棒…
和相信是犯案時兇所穿的名牌皮褸，上面染有社長的血跡的…
可是哥爾夫球棒和皮褸聽說也屬社長所有的，因為他同時把這裡當作住宅，這些物件平時是放在裡面的房間裡的…
只憑這兩件物件怎可找出兇手呀…？
但想不通的是為何兇手要穿上死者的皮褸呢？還有死者的房間也有被搜掠過的痕跡…
一定是那社長外出時被賊人潛入，看中這件名牌皮褸後便穿上身試試吧…
後來社長回家，被賊人綁起，威脅他說出夾萬密碼後再在房間取出哥爾夫球棒把他擊斃！
最後只好放棄染血的皮褸急急逃走！
咦？

濺在皮褸上的血…
只有左肩特別淺色…
到底被什麼吸走了…？
這也是一個謎啊…
在這間公司周圍搜查過，並沒發現其他地方和物件染有血跡了…
可能是脫去皮褸時用手碰到呢？
並沒發現兇手的手套是嗎？
說起血跡…
這裡也有些奇怪的血跡啊！
唔？
你看這些血…
不仔細看是不會知道的…
最頭的位置被切去了…

難道有什麼東西放過在這裡？
是的…
到底是什麼呢…？
!!
嗯…遙控、遙控…
喂、喂！不要亂碰啊！
桌上的東西要和犯案時保持原狀的…
噗
呀？
是AV台…
這樣說…
原先放在這裡的…
可能是攝錄機…
攝錄機？在死者的房間有啊…
那麼快叫鑑證科的人來檢查有沒有血液反應吧！
……

奇怪了…
假如攝錄機放在這裡的話…
為何兇手行兇後要把它移走呢？
把攝錄機連接電視，即使是為了監視被綑綁的社長也好…
行兇後也沒必要搬走吧…
一定是有些地方看漏了的…
這房間…
有點不自然的…
一種不協調的感覺…
柯南…
有件事想拜託你…
什麼？

今次的推理比賽…
就讓和葉勝出好嗎？
和葉一直很希望和我們一起去看寶塚的…
她等這一天已經很久了…
所以，假如想到什麼線索的話便偷偷告訴我們吧…
只要有多點頭緒，爸爸一定可以像平時般把事件解決的…
求求你吧！
不行嗎？

當然不行啦！
這小鬼跟我一組的！
妳想找他做臥底嗎？
喂！你不會重色輕友出賣我這個老友吧？
老友？當初是你強迫我跟你一組的…
沒法啦！只要勝出今次的推理比賽，便能去看甲子園棒球賽了！
自私鬼…
是否一致呢？
什谷玩具製作所
(有)
攝錄機上的血跡和地上的血跡…
是的，雖然只有微量，因此兇手沒有發覺吧…

但到底把攝錄機放在這裡幹什麼呢？
相信是連上電視，直至社長肯說出夾萬密碼之前，方便一直監視他吧！但問題是事後為什麼要把它移走呢？
要監視的話，把他綁在夾萬前的座椅上不就可以嗎？
可能兇手恐嚇他說「我在電視看著你的，別耍戲！」，然後便到其他房間搜掠貴重物品！
現場留下了社長臨死前的死亡訊息…
相信兇手對現場環境相當熟悉，而且社長應該是認識兇手的！
假如不知道攝錄機放在哪裡，就不會把社長綁在書桌下監視了…
只要解開死亡訊息的謎底，就可以推斷出下毒手的人是誰了…
那麼，最先發現死者那四個職員都有可疑…
那四人…高木現在…
目暮探長！
已經替那四人錄取口供了！
好的！
有什麼線索嗎？
咦？
服部？
快說吧！

那四人本是設計師，但愛甲奈央就同時兼任會計，案發時間六月廿九日下午五時許，她一個人去了釣魚…
負責營業部的波佐見淳…
當時在家看影碟…
負責制作的中紙功男當時在馬場…
而副社長岩富創…
就去了觀看哥爾夫球淘汰賽的決勝賽…
唔…四人也有不在場証據…
現在千葉正繼續暗中調查…
因為他們都沒有有力的時間証人…
暗中…？

15

16

FILE 8
讀取背後的死亡訊息

和葉…
和葉，妳怎麼了？
我對那死亡訊息完全摸不著頭腦…
今次的推理比賽一定輸給平次，不能去看寶塚了…
我很不甘心…
おもちゃ
比賽…
蠢才！推理根本沒有勝與負…
也沒有高與低…

2

真相永遠…
只有一個…
唔…
你說得對…
服部，你也知道了嗎？這個死亡訊息的真正意思…
快告訴探長吧…
完全不知道…
什麼？
只得四件染有墨水的積木…
假如這些不是相片，而是真積木的話…

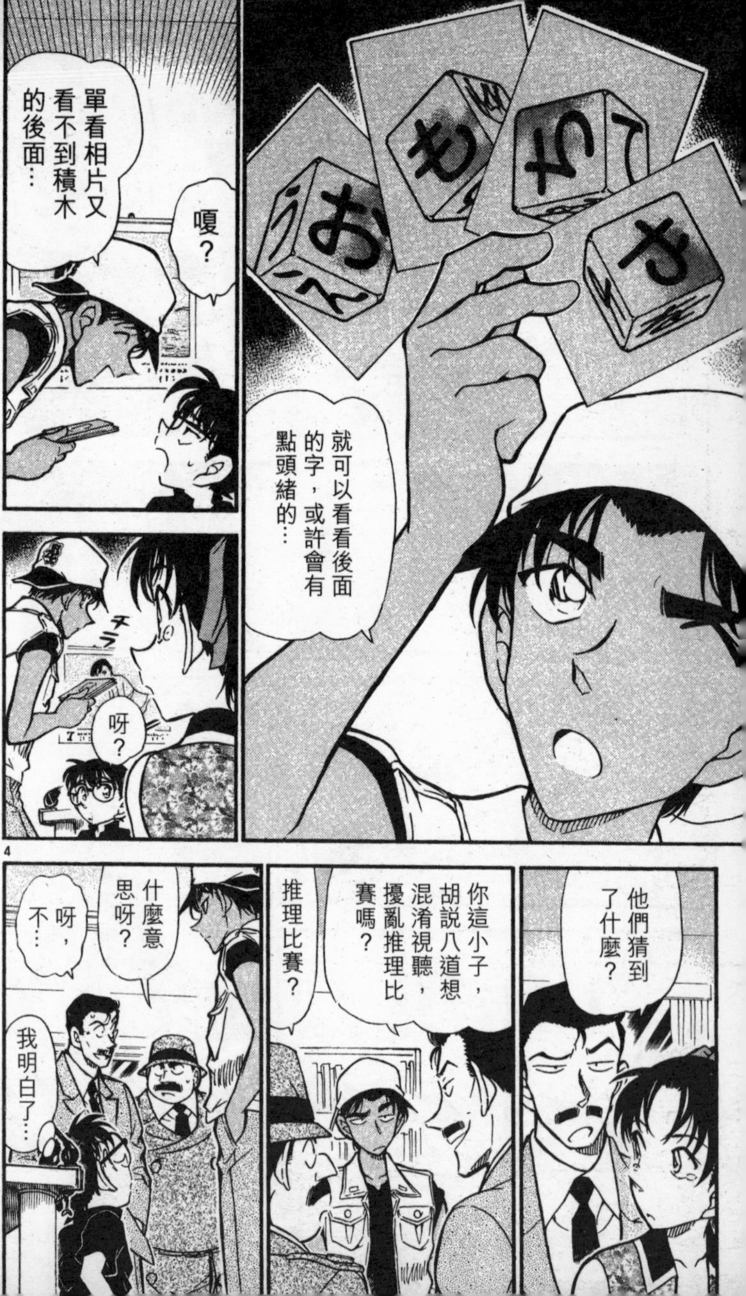
お
や
就可以看看後面的字，或許會有點頭緒的…
嘎？
單看相片又看不到積木的後面…
チラ
呀？
他們猜到了什麼？
你這小子，胡說八道想混淆視聽，擾亂推理比賽嗎？
推理比賽？
什麼意思呀？
呀，不…
我明白了…

這傢伙…
但是被殺的社長是千辛萬苦把積木染上墨水的…
因為他是利用被綑在背後的手來觸摸辨認所需的積木，再染上墨水…
這些積木上的字各有不同，也有動物圖案，換上是我，一定會認錯的…
什麼？
但假如這不是積木而是象棋的話…
裡面的字被決定了，要染墨水就易得多了！
工藤…
……

裡面的字…
決定了…？
蠢才！如果是象棋的話就易辨了…
社長為免被兇手發現留下死亡訊息，只好把真正含義的積木向著地下，再在另一面塗上墨水引人注目…
假如換上象棋的話，雖然字面比較容易猜中，但同樣地也會被兇手發現而破壞的…
是哩！
!!
難、難道這四件積木…
和葉…？
對了…最先發現屍體那四人…
有沒有殺人動機呢？
呀…

會計愛甲奈央是死者什谷社長的前妻，離婚的原因是愛甲女士另結新歡…
另外，二人為了生活費近來鬥得很不愉快…
營業部的波佐見淳，要為公司的營業額走下波而負上責任…
社長説過假如今年的利潤比去年下跌的話便要他引咎辭職…
制作的中紙功男三番四次地…
被社長嚴厲批評玩具設計沒有新意，未能達到公司要求…
最後一個，副社長岩富創雖然沒有什麼名顯動機…
但假如社長身亡，他便順理成章地成為這間公司的社長…
唔…
四人也有動機…
而且也沒有充分的不在場証據…
明知是有可疑的…
但也証據不足…
可惜…
始終猜不透這四件積木的死亡訊息的真意義…

否則殺害社長的兇手…
一定逃不掉的…
唉，快些啦…
說起來，他們的賓主關係這麼惡劣，公司還可以維持下去…
是的，所以他們經常聚集於副社長岩富的家，互相一邊飲酒，一邊數出社長的不是…
案發的六月廿九日晚上，他們三人也在副社長的家裡飲酒過夜…
翌日，四人一起上班時發現社長的屍體…
另外…
可能和案件沒有太大關係…
什麼？
他們四人也有收藏習慣的…
收藏習慣？

冷傲的愛甲女士有五十對手套…
每次去釣魚也會帶三對以便替換的…
電影迷波佐見淳先生有三十副太陽眼鏡…
他說擁有一副某大明星曾經戴過的限定版太陽眼鏡…
馬迷中紙先生就喜歡帽子…
不同的賽事便會選戴不同的帽子，他有四十頂那麼多…
DERBY
經常和社長打哥爾夫球的岩富先生就有三十對白鞋…
全部都是哥爾夫球的名牌子，每星期會拿出來抹一次的…
另外，被殺的什谷社長也是偶像商品迷！
他收藏了大量年青女星的商品的…
說起來，在社長的房間內的確有很多商品哩…
是嗎？
你看，在桌上也有…是有偶像相片的筆座和原子筆…
是哩…

工藤，你留意到嗎？
是…你指這房間奇怪的不協調感覺嗎？
但不止這樣…
沒錯，還有一個…
從未發現的線索…
那麼，那個月曆也是社長買吧…
對…聽說他特別喜歡這個女星月曆的…
即使過了的月份也捨不得撕下來，繼續保存…
但五十三歲人還愛年青偶像…
……
7
JULY

服部…
你有沒有買那本小說？
惡魔留下的遺書 下
有！我媽媽一早替我買了…
探長…
別要在這裡浪費時間了…
不要叫最先發現屍體那四人出來…
直接盤問吧…
我有些事情想問清楚的…
好吧…
和葉，有什麼發現嗎？
……
和葉？
對不起啊，小蘭，暫時不要和我說話…
我有點頭緒了…
好的…

什麼啊！這時候還叫我們來！
東部信販
什谷玩具製作所
難道還認為我們有可疑嗎？
呀，不是…
而且，不是已推斷兇手是求財的劫匪嗎？
還是因為我們沒有時間証人，所以懷疑我們呢？
這樣也沒辦法…
我當時真的在馬場啊…
我就去了看哥爾夫球淘汰賽，直至看完最後一組…
我在家連續看了三張影碟…
我去釣魚！沒有人陪我的！
到底是誰最先發現屍體的？
這小子是誰？
不、不要問了，請回答吧…
是我最先發現的…
當時我想返回自己座位，突然發現社長躺在地上，於是便大叫…

當我聽到副社長大叫便走上前看…
之後便打電話報警…
是、是的…
那麼，那個月曆…
通常由社長親自撕下來嗎？
是的，我們若替他撕的話，他會生氣的…
社長的確很緊張的…
後來，甚至把它放在房裡去收藏起來…
但不知道放在哪裡的…
月曆上面寫上了許多約會，是社長寫的嗎？
是、是的…
下星期日，本來約好全公司一起去打哥爾夫球的…
ゴルフ大会
我還專登買了一對新的哥爾夫球鞋啊！
上次副社長借給我那對尺碼太小了！
是嗎？
呀，是…
好吧…

我們要去找些東西，你們繼續盤問吧！
什麼？
我們…？
借你們的手套用用！
一定要找到…
是…
到底為何要在社長頭頂前放部攝錄機、和綑綁他的位置，
還有桌上奇怪的不協調感…
兇手所穿的皮褸，肩上與別不同的血跡…四個嫌疑犯的收藏物品…還有社長臨死前留下的死亡訊息…
只要找到那東西，一切便揭盅…
果然繫於一線！

鈴鈴
鈴鈴
咦？
呀，是千葉嗎？
取得那四人的不在場証據沒有？
什麼？
只能確定其中一人的証據？
是的！
我現在在電視台翻看賽事記錄…
果然拍到他啊！
清清楚楚的！

有了！
六月份的月曆啊！
果然遺下了薄薄的血跡…
沒錯了！
兇手就是…
SUN MON
29 30
我知道了…
什麼？
小蘭，我…
知道兇手是誰了…

FILE 9
組合的訊息

東部信販
什谷玩具製作所
(有)SSJ
什麼？真的嗎？
和葉，妳真的知道兇手是誰？
唔？
是、是的……
妳看，被殺的社長留下的死亡訊息…
就是寫上「玩具」的四件積木！
其實，這並非在暗示什麼暗號…
而是直接指出兇手的！

直接指出…？
但他們的樣貌都不像玩具啊…
不、不是！是姓名啊！
姓名？
不過…
愛甲奈央…
波佐見淳…
中紙功男…
岩富創…
四人的名字都和玩具無關的…
剛才平次已經說過了。其實社長想我們看的並非染有墨水那一面的積木，相反地他把底部染上墨水，面部的文字才是答案啊！
換句話說，印有墨水的底部文字「玩具」…
其實死亡訊息是向上的文字才對！
可惜相片拍不到底部的文字…
立即叫鑑證科把那四件積木拿來吧！
不用了！

3

第一個染有墨水的積木「お」！
把積木的六面張開，再根據文字位置填上平假名字母，假設中間是「う」，那麼右邊就是「お」，對下就是「も」了⋯
另一個「も」字積木！
「も」的下面是「め」，按照「お」的下面是「え」的角度方式推算，便能把這積木的字母排法推算出來了！
只要心水清，留意「め」下面是動物圖畫，那麼「え」下面當然也是圖畫了！
唔⋯
至於「ち」字的積木⋯
「て」的左面是「ち」，「ち」的左面是圖畫，那麼底部就應該是「と」了⋯
如此類推，「え」的左面就應該是「い」⋯
所以，「お」字積木裡，底部字母就是「い」⋯
剩下來是「う」字上面⋯
就只有「あ」字了⋯

現在字母的排列方法大致上清楚了…
染有墨水的積木中，「お」的底部是「い」，「も」的底部是「み」，「ち」的底部是「と」，如此類推…
あ う お
い え 絵
ま む も
み め 絵
た つ と
ち て 絵
我明白了！真正的訊息應該是「い」、「み」和「と」才對…
咦？奇怪了…
照和葉所說的話，第四件積木中的「や」的下面，應該是う段的「ゆ」才對，為何會是「よ」字呢？
那積木比較特別的！
「よ」的右面本來是「わをん」的「を」…
這樣的話，這件積木便是「やゆよわをん」，可是就再沒位置放圖畫了…
而根據剛才推斷出來的排列方法…
① ② ③ ⑤ ④ 絵
や ゆ よ を わ ん
在圖畫的地方加入「ん」字便可以了！
而染上墨水的「や」字的底部，其實就是「わ」…
所以，死亡訊息應該是「い」、「み」、「と」、「わ」才對！
即是…imiwato、iwamito、iwato…？
對了！社長臨死前留下的訊息就是…

副社長岩富(iwatomi)先生…
你的名字了！
み
い
と
わ
原來是你！謀殺社長，企圖搶奪公司成為囊中物…
不、不是我啊…
和葉，妳很厲害啊！比服部早一步破案了！
是啊！我終於勝出了！
那麼，我們…
可以去看寶塚歌劇了！
咳咳～
和葉，很抱歉…
兇手並非岩富…
什麼？

剛才千葉打電話來，說案發的六月廿九日下午五時許，岩富在電視螢光幕上出現…
當時正在播放哥爾夫球比賽…
不會吧…
怎會這樣的…
但這是千真萬確的…
或許，這傢伙有個孖生兄弟呢？
沒有啊！
那麼，很抱歉…和葉，妳的推理並不成立…
什麼…
不，她沒説錯…

那四件積木「いわとみ(岩富)」的確是社長臨死前…
留下的死亡訊息…
平次…
但是，岩富有不在場証據啊…
當然有啦！
因為岩富根本就不是兇手…
什麼？
剛才你不是說這是死亡訊息嗎？
沒錯！我是說過…
但那個訊息內裡的含意…
我還未說…
那就快說吧…
我說過，社長在積木上留下死亡訊息…
試試回想一下！

8

唔…社長被人把雙手綁在背後，倒臥在桌子前…
然後反轉身體，取出身旁的積木，再反轉把積木染上翻倒在地上的墨水…
沒錯，在背脊位置翻倒的墨水就是問題所在了…
有什麼問題呀？
這墨水不是兇手和社長糾纏時候弄翻的嗎？
我最初也這樣想的，但現在就不同了…
當我發現這桌子上的不協調感覺後…
不協調感覺？
咦？奇怪了！
什麼？
兇手明明是和社長糾纏時，不小心把桌上的墨水翻倒的…
但為什麼筆筒和其他東西都安然無恙的？
是、是哩…
這就好似…

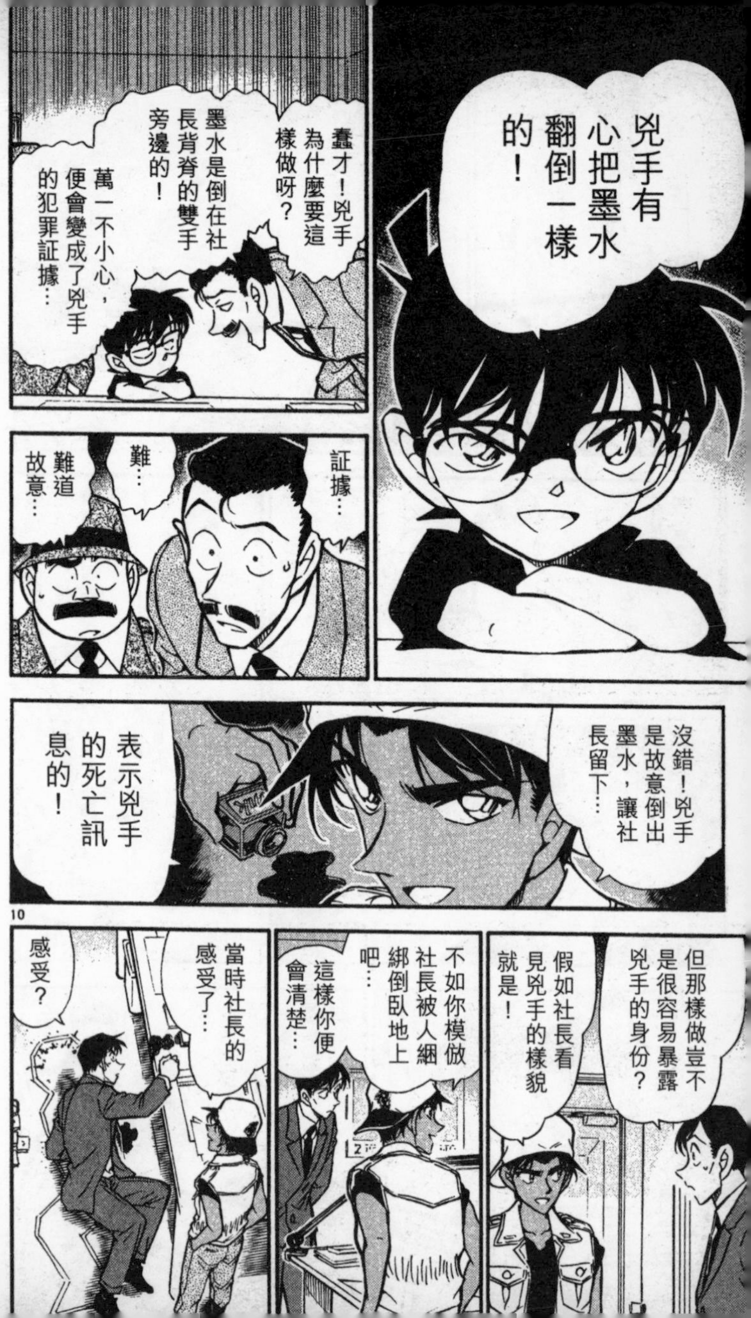
兇手有心把墨水翻倒一樣的！
蠢才！兇手為什麼要這樣做呀？
墨水是倒在社長背脊的雙手旁邊的！
萬一不小心，便會變成了兇手的犯罪証據…
証據…
難…
難道故意…
沒錯！兇手是故意倒出墨水，讓社長留下…
表示兇手的死亡訊息的！
但那樣做豈不是很容易暴露兇手的身份？
假如社長看見兇手的樣貌就是！
不如你模做社長被人綑綁倒臥地上吧…
這樣你便會清楚…
當時社長的感受了…
感受？

原來是鞋呀！兇手故意收窄社長的視線範圍⋯
令社長只可憑鞋子推斷兇手的身份！
即是說，穿上岩富先生的白鞋，讓社長誤以為行兇者就是岩富先生，然後留下死亡訊息⋯
把攝錄機放在社長前面便是証據了！
他利用螢光幕監視社長⋯
當留下死亡訊息後便殺掉他！

但到底是誰做的？
探長，我在社長的房間內發現這張奇怪的月曆啊！
叔叔，或者你會明白的⋯
唔？
有點污漬，但沒有什麼不妥呀⋯

你看不出來嗎？
染在月曆上的污漬其實是血跡啊！
呀？
而且，不覺得奇怪嗎？
社長是在六月廿九日被殺的，但現場所見的月曆卻是七月份的…
然而，六月份的月曆上的三十日那天還寫上了記事的…
明顯地兇手是有心把它撕下來的…
22 23 24 25 26 27 28 29 30
喂喂喂…
撕下來的原因，就是為了掩飾血濺的証據吧…
在哪裡曾經發現染有淺淺的血跡呢？探長…
對了！兇手行兇時所穿的皮褸啊！
在左肩位置有薄薄的血跡的…
不如請四位站在月曆前量度一下高度，看誰最吻合吧…
呀，蠢才…
看看誰的肩膊剛好在月曆的染血位置上…

好嗎？身材高挑的波佐見先生…
看來，只有你一人的高度最吻合了！
服部，但是染在月曆上的血跡可能是兇手故意把皮褸脱下來塗上去，陷害他人的…
不會！
既然兇手令社長誤以為是岩富先生行兇，留下死亡訊息的話，假如要塗，也塗在月曆上較低的位置才吻合他的高度…
以擾亂警方的搜查吧…
但社長被縛的時候怎會看不見兇手的樣貌呢？
相信社長被打暈了吧…

波佐見先生趁社長不在時，用後備匙進入，當社長回來後，用哥爾夫球棒從後襲擊他，擊暈他後再用繩綑綁…
然後，將他放在桌子前，用攝錄機一面監視，一面等待社長醒來後誤作死亡訊息，其間一直穿著岩富先生的哥爾夫球鞋…
之所以把皮褸上的血染到月曆上是因為…
當他確定社長完成死亡訊息後，用球棒擊斃他，一時慌張下身體撞向掛在牆壁上的月曆…
他沒有即時把月曆棄掉是因為…
翌日跟同事一起發現社長屍體時才察覺月曆上有血跡…
所以只好趁警察來到前偷偷撕下，藏在社長的房間裡…
另外，他要交還岩富先生的白鞋也很簡單…
因為岩富先生經常邀請同事回家作客，案發當日的夜晚也和同事一起渴酒，只要在那時候偷偷把鞋交還便行…
但單憑月曆上的血跡也不能指證波佐見先生的…
不…証據還有那對鞋啊！
他說過的，早次向岩富先生借的哥爾夫球鞋尺碼太少，緊促非常…
可是卻要一直穿著直到社長醒來留下訊息為止，令他腳痛難耐…

因此相信在行兇的長時間內波佐見先生一定會脫下襪子，赤腳地穿上白鞋！
所以鞋子裡一定會遺留波佐見先生的腳臭的！
但假如他行兇後把鞋子棄掉的話…
不會的，岩富先生每週也會抹擦白鞋，假如白鞋的數量少了，一定會察覺到的，到時一切便功虧一簣了…
為了不被發現，一定會挑選一對岩富先生平時較少穿的…
只要拜託警犬嗅一嗅便會水落石出…
但一個穿鞋穿到腳痛兼腳臭也不懂脫的人這麼忠直，行兇一定有他的原因的…
……
說出來聽聽可以嗎…？
因為我想嫁禍給岩富副社長，把社長殺掉，再重新搞好這間玩具製作所…
就此而已…
你說什麼？
原來你這麼憎恨我的…
憎你的人不是我…

是小孩子們…
你和社長準備推出市場，將會買回家玩的小孩子們啊…
這是什麼意思？
哼！好像這個積木的角是切去的…
由於製所成本問題，切角將會取消，是社長和副社長說的…
不只積木，其他玩具也一樣…
無可否認，外觀是比較合潮流，比較好賣，但小孩子也會較易受傷的，雖然曾提出反對，但社長卻要脅說誰反對便革走誰…
但、但也不用殺人吧！公司也經營得很辛苦的…
辛苦？
哈…你估被縛起時的社長說過什麼？
喂，岩富！你目的是為錢吧！
要錢的話多多也可給你的，不信的話自己打開夾萬看看吧！
什麼？
裡面有錢嗎？
對…但我的目的根本不是為錢…
我只是為了小孩子，不想再製造一些出賣良心的玩具罷了…
就此而已…

你對破案線索也很瞭解哩…
全靠小說而已…
我的母親今早替我買的一本小說名稱…
全靠它提醒了我！
那麼說，要多謝你的母親才行！全靠她，你才可以勝出今次的推理比賽…
呀…終於可以去看甲子園…
呀？
糟、糟了！
我忍不住贏了！
恭喜你，平次…
看得開心些吧！
等、等等！
和葉，不如我去勸勸平次，叫他去看寶塚吧…
和破解死亡訊息的明明是妳啊…
總算贏了一半嘛…
算了吧…

即使我有福爾摩斯一樣的偵探頭腦也好…
也贏不到今次的比賽的…
為什麼？
因為，我最想看的…
不是寶塚，也不是甲子園…
而是…
平次破案時…
那閃爍燦爛的笑容…
唉！一時口快，又贏了她…
笨蛋…

甲子園球場…
甲子園球場
FILE 10
53000分之1的惡魔
從全國挑選出來的高校棒球精英…
挑戰個人的體力和技術的極限，誓要攀上最高峰！
那裡是女神向霸者們微笑的聖地…
也是決勝負的殘酷競技場…
對…有時強者也有敵不過命運的一刻…

甲子園也是魔鬼棲身的地方…

FILE 10
53000 分之 1 的惡魔

名探偵

柯南

DETECTIVE CONAN

第二回合，輪到港南高校的攻擊…
第四棒，三壘…
大家聽到嗎？場內的歡呼聲幾乎蓋過廣播了！
雙方爭持激烈，鬥個你死我活的甲子園決勝戰！

勝利的凱歌到底屬於去年的霸者港南高校…
還是誓要成為春夏兩連霸的大金高校呢？
投球手振臂一揮，第一球…
投出了！
唔~

直球！
果然好直！
好直好直！
小五郎叔叔，你看哪裡呀？
比賽在那裡啊！
不用說，一定是在窺看啦啦隊的短裙啦…
咸濕！
爸爸呀，你專心看球賽好不好？
我也不想的…
這個位置距離這麼遠，根本看不清楚…
山長水遠邀請我來，還以為有好位置…
真對不起…

我本來拜託在附近居住的朋友清早來排隊買票的，可是他卻貪睡來遲了…
大瀧探長…
還有，大金和港南是世紀之戰，清早不來排隊一定買不到內野席的位置的！
明知就一早去買啦！
這個當是賠罪吧！人人有份！
好冰凍啊！
謝謝！
大瀧探長，你不用上班嗎？
不要緊，他一定是請假來的…
是嗎？
是的…由半準決賽至到今天，有機會取得三連勝的…
原來，你也喜歡甲子園的…
當然啦！

7

大瀧先生…
以前是高校棒球好手啊！
呵…那麼，你也曾經踏足甲子園球場嗎？
不…只不過是地區預選八強罷了…
今日來…
看看他們比賽，回味一下…
為了一球，併至滿身汗水和泥濘…
仍然堅持到最後一刻，那段日子…
實在很懷念…
那時候的努力不是白費的，放棄才是愚蠢…
甲子園的確是個好地方…
……
8

9

衝破三壘線了！
是長打啊…
擊球手很快啊！
左野手捕球了…
衝上三壘了…
快走吧！
無人出局，上三壘…應可取一分了…
現在言之尚早！要看下個擊球手爭不爭氣了…
鈴
鈴
鈴
手提電話？
剛剛發現的嗎？
難道是剛才走過的人留下的？
喂？是機主本人嗎？
你的手機在右看台這邊…

興奮嗎？
什麼？
我問你…甲子園是個令人興奮的地方對嗎？
你是誰？
不如來玩一個更刺激的遊戲吧…
比起這些小兒科的球類更有趣、更令人血脈沸騰的玩命遊戲…
雖然説是玩命，但死的是我罷了…呵呵呵…
蠢才！想死便隨便，別阻我看球賽啊！
呀，不過…
我不會一個人死的…
一個人上路，太孤獨了…

你說什麼？
遊戲規則很簡單…
每當第三回、六回、九回打完後，我便會致電放在這球場的某一角落的電話…
手提電話會留下線索，說出我身在何地…
我在比賽終結後會在響起的電話旁邊的…
假如到第三個來電仍無法取起電話的話，便當作三振出局！
當然，假如能找出所有響起的電話，在比賽結束前找到我的話，便當你們贏…
哼！別開玩笑了！
收線啦！
哈哈…以為我開玩笑嗎？等第二回合結束你便知…
首先，第一個提示是在手提電話的訊息中…
告訴旁邊的刑警，期待與他見面吧…
等等啊！
你叫什麼名字？
我嗎…？

甲子園的魔鬼…
就是我的名字…
喂喂…
卡察~嘟~
咦？攻守互換嗎？
剛才三振出局啊！平次，你剛才沒看嗎？投手投出高速球啊…
吡
吡

吣
96[7]13
這個…
唔?
96、7、13…什麼意思?
是機主的所在地…
剛才他說就在這球場中!
說什麼?
快叫他來取回吧!
但96、7、13…看來似座位編號吧…
又是暗號嗎?
我怕怕了!
……
唔…8、1、2…的話…
就是阿爾卑斯觀眾台…
唔?
為什麼?

因為8、1、2即是「海地」…
(日文讀音相似)
海地就是小說中居住在瑞士阿爾卑斯山的少女啊！
ナァハハハ
算了吧！大瀧探長，一起去找那傢伙吧！
什麼？
現在嗎？
咦？柯南也去嗎？
是啊！一定很好玩的！
放心吧！
我保證安全帶他回來的…
怎麼攪的？又是自己說來觀戰…
離譜…

什麼？
自殺!?
平次，真的嗎？
是啊！他說比賽完結前找不到他的話，便要找人陪葬！
可能是惡作劇罷了…
相信不是了…
打電話來的人並沒有改變聲音，而手提電話的製造編號標貼也沒有撕去…
即是說他根本不介意身份曝光…
而且，他似乎認識大瀧探長你的！
今次的目的，或許和你有關啊！
總之，利用你的警察徽章進入本壘後圍網再說吧！
什麼？去本壘後圍網幹什麼？
剛才我在電話中清楚聽到球証的吹號聲的…
相信他當時正在那裡…

不好了…
什麼？
比賽完結，他便會自殺嗎？
他說過在第二回合終結時，會給我看看他並非開玩笑的！
什、什麼？
現場是三出局的歡呼聲啊！
可能會有事發生的…

糟了…
第二回合打完了！
大金 00 010
港南 00 010
小鬼，你向下搜！我向上搜！
大瀧探長搜中間吧！
見到戴帽的可疑人物便通知我吧！
好的！
第三回開始！輪到大金高校的攻擊…

沒事發生…
ウーー
ウーー
高野運輸

FILE 11
甲子園魔鬼
的挑戰
甲子園球場
55

平次，怎麼攪的？什麼也沒發生啊！
奇怪了…
打電話來的男人…
明明說在第二回合完結時會拿出証據來的…
一定是惡作劇了！哪有人會在甲子園自殺的…
你們看！
唔？
那邊的高速公路…

3

有濃煙冒起啊…
可能是火燭吧…
那裡是的祿町啊…
大瀧探長，你有刑警前輩在兵庫縣辦事的，打電話給他看看吧…
好的…

什麼？
炸彈爆炸？
真的嗎？
是的，待火警熄滅後會再詳細調查，現在初步推斷而已…
火警發生的地點是高野運輸公司大廈…
附近居民説曾傳出一聲爆炸巨響…
幸好今日是公司休假，才沒有傷亡…
不過，在無人的大廈裡發生爆炸，相信被人放炸彈的可能性很高！
那爆炸聲傳出的時間是…？
在一時四十分左右？
剛好是第二回合終結的時間啊！
服部，不好了！假如電話中的男人所説的証據是炸彈，那麼他自殺的方法可能是…
混蛋…

他想在甲子園的看台上引爆炸彈自殺…
這樣的話，將會是大災難啊！
大瀧，說起來你今日不是休假去看甲子園比賽嗎？
為什麼問起火燭的事呢？
呀…
平、平次，怎麼樣？要告訴縣警嗎？
不要啊！
那男人說比賽結束後才自殺的！
萬一我們失手引起騷亂，比賽因而終止的話，他或會即時引爆炸彈的！
還是照他所說，把暗號逐一解破，找出那三部手提電話，再在發現第三部電話的旁邊拘捕他吧…
6

那麼，我們若不在第三回合完結前，把暗號破解，找出收藏在甲子園觀眾席某處的第一部手提電話…
那瘋子是不會罷休的…
第三棒…
投球手…

OHGANE
第三回合主攻，一出局、一二壘有人，這回合精采了…
剛才我進入後圍網時在八號門的旁邊看見一張甲子園地圖…
步出時一面看著地圖，腦中便閃出答案了…
這個96、7、13…
數字的意思！
96[7]13
我去問小五郎叔叔借收音機來！
不知道比賽經過是不行的！
拜託了！

壞球！
三壞球！
投手面臨嚴峻考驗，不容有失！
不停投出牽制球！
想逃避嗎？
平次還未回來…
可能還未找到手提電話的機主吧…
找不到便回來啦…
遺下電話的又不是他…
放心吧！

一定會找到那男人的…
嘎
嘎
嘎
等著看吧…
小五郎叔叔，借你的收音機一用可以嗎？
柯、柯南…
我們要一面找人、一面了解比賽進展啊…
別弄壞啊…
還有，萬一發現穿白帽的男子，便打電話通知平次哥哥吧！
喂…
……
太相似了…
剛才柯南的表情…
和那時候的他…

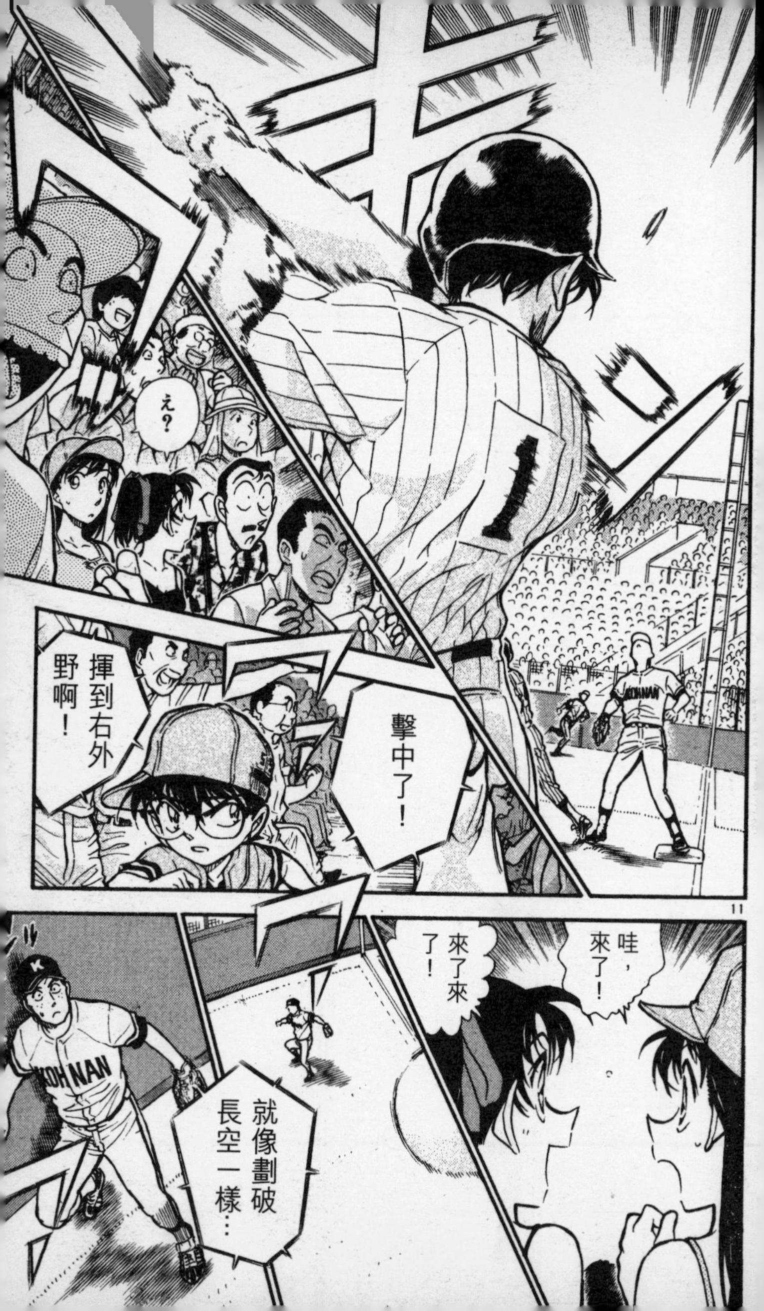

え？
擊中了！
揮到右外野啊！
KOHNAN
哇，來了！
來了來了！
就像劃破長空一樣……
KOHNAN

捕到了！
右外野的飛殺球！
濱風球員與兩翼外野手成功攔截了時速96m的進攻！
兩翼…
96m!?
96·7·13…
96·7·13…
一定是指這個觀眾席的某一位置…
96[7]13
現在地
哪裡呢？
平次，沒時間了…
收音機借來了！
第三回合主攻完，還是零比零！
又出局了…
這球場又翼嗎？
翼？

剛才我在收音機中聽到兩翼96m的甲子園啊…
你到底會不會打棒球的？關東地區的棒球場不說「兩翼」這名稱的嗎？
小朋友，兩翼96m是指由本壘起至到棒球落地的距離啊…
!!
難道這暗號最初的96是指落地位置的觀眾席…
但到底是左還是右呢？
那麼，括號中的「7」字又是什麼意思？
96[7]13
7……
7……
7……
不好了！三球三振一出局了！
哇~

對了！括號中的數字是背號啊！
高校棒球中的7號是在左野的！
即是說，在左外野的觀眾席啊！
那麼最後的13是什麼？
相信是第十三段的座位！
第一個手提電話也在那裡找到的！
到第三回客攻了，港南高校的攻擊也兩者連續三振，兩出局的！
接著的擊球手是最後機會了，再被飛殺或三振的話…
5段！
6段！
7段！
13段!!
在這裡！

三振!!!
鈴鈴
不要聽呀！給我！
？
鈴鈴
鈴
喂？喂？
喂喂！
你到底想怎樣呀？
哈哈哈…好玩嗎？

其實有趣的是小孩子們…
讓他們在開心一點吧…
甲子園的魔鬼最喜歡看見人家徒勞無功的…
可惡！掛了線！
嘟嘟…
咦？又有訊息了…
今次的暗號是…
47[3]4
沒錯…
浪費的…
在這裡根本無價值…
連微塵也不如…
名探偵柯南 43 完

名探偵柯南　43

青山剛昌

出版者
EDKO PUBLISHING LTD.
香港中環干諾道中 18 號大昌大廈 502 室
電話：(852)2536 6503　傳真：(852)2845 0567
Email: edkopub@netvigator.com

承印者
奧美印刷有限公司
香港黃竹坑業發街 4 號萬興工業中心 13 樓
電話：(852)2554 7488

總經銷
利源書報社
九龍九龍灣宏通街一號啟福工業中心地下六號
電話：(852)2381 8251

2003 年 11 月 10 日出版第一次印刷發行

ISBN-962-599-242-1

售價港幣 **28** 元

ISBN 962599242-1

EDKO PUBLISHING LTD. 安樂文潮
502 Grand Building, 18 Connaught Rd. C., Hong Kong.
Tel: (852) 2536 6503 Fax: (852) 2845 0567
Email: edkopub@netvigator.com
DETECTIVE CONAN 43

First published in Japan in 2003 by
SHOGAKUKAN INC., TOKYO.
Hong Kong Chinese translation rights in Hong Kong arranged with
SHOGAKUKAN INC. through ANIMATION INTERNATIONAL LTD.
定價港幣・二十八元

服部平次原本打算趁暑假邀請柯南到大阪一行，但為了去看棒球賽還是看歌劇的問題與和葉爭持不下。
最後，小五郎想出以一宗謀殺案的推理來決勝負。